Min første bog om Peter Plys

Min første bog om Peter Plys

Med nye tegninger i farver
af Ernest H. Shepard

GYLDENDALS BØRNEBOGKLUB

Min første bog om Peter Plys
udvalg og nye illustrationer Copyright © 1965 by
E. P. Dutton & Co., Inc. Oversat fra engelsk efter
„Winnie-the-Pooh" © A. A. Milne 1926, 1954 og
„The House at Pooh Corner" © A. A. Milne 1928, 1956.
Denne udgave må ikke gøres til genstand
for offentligt udlån.
Bogen er sat med Monophoto Baskerville
hos Gerlach & Raffel a-s, København.
Printed in Belgium 1986.
ISBN 87-01-01642-3

Indhold

7   I hvilket et hus bliver bygget
    på Plys' plads for Æselet
    (fra: Peter Plys og hans venner)

31 I hvilket Grislingen er
    helt omgivet af vand
    (fra: Peter Plys)

55 I hvilket Peter Plys finder på en
    ny leg, og Æselet leger med
    (fra: Peter Plys og hans venner)

I hvilket et hus bliver bygget på Plys' plads for Æselet

En dag, da Peter Plysbjørn ikke havde noget for, så syntes han, at han ville gøre noget, og så gik han til Grislingens hus for at se, hvad Grislingen tog sig for. Det sneede stadig, medens han traskede hen ad den hvide skovsti, og han ventede at finde Grislingen foran ilden i færd med at varme sine ben, men til sin forbavselse så han, at døren stod åben, og jo grundigere han så efter, des mere var han klar over, at Grislingen ikke var derinde.

,,Han er ude,'' sagde Plys trist, ,,det er, hvad han er. Han er ikke inde. Jeg må hellere gå en tur for mig selv og tænke mig godt om. Det er dog også irriterende!''

Først besluttede han imidlertid, at han ville banke meget højt for at være *helt* sikker – og medens han ventede på, at Grislingen ikke skulle svare, hoppede han op og ned for at holde sig varm. Medens han hoppede, lavede han et lille vers, som forekom ham selv at være et rigtig godt lille vers. Det lød således:

Jo mer det sner
Tra-lá-la-lá,
Jo mer der er
Tra-lá-la-lá,
Af sne.

Og ingen ser
Tra-lá-la-lá,
Hvor mine tæer
Tra-lá-la-lá,
De kolde er
Af sne.

,,Og nu vil jeg gå hjem," sagde Plys, ,,og se hvad klokken er og måske tage et halstørklæde på, og så vil jeg gå hen og besøge Æselet og synge det for ham."

Han skyndte sig tilbage til sit hus, og han var så optaget undervejs med verset, som han ville synge for Æselet, at da han pludselig så Grislingen sidde i sin bedste lænestol, blev han stående og gned sit hoved og spekulerede på, hvis hus han var i.

,,Goddag, Grisling,'' sagde han. ,,Jeg troede, du var ude.''

,,Nej,'' sagde Grislingen, ,,det er dig, som er ude.''

,,Det er det også,'' sagde Plys. ,,Jeg vidste, at det var en af os.''

Han så op på uret, som var gået i stå fem minutter i elleve for nogle uger siden.

,,Klokken er næsten elleve,'' sagde Plys lykkelig. ,,Du kommer lige i rette tid til at få en lille mundsmag af et eller andet," og han stak sit hoved ind i skabet. „Bagefter vil vi gå hen og synge min sang for Æselet."

„Hvilken sang, Plys?"

„Den som vi vil synge for Æselet," forklarede Plys.

Klokken var stadig væk fem minutter i elleve, da Plys og Grislingen en time senere begav sig på vej. Vinden havde lagt sig, og sneen, der var blevet træt af at hvirvle rundt og prøve på at fange sig selv, svævede nu blidt og stille ned, til den fandt et sted, hvor den kunne falde til hvile, og somme tider var det sted Plys' næse, og somme tider var det det ikke, og snart havde Grislingen et helt lag af sne omkring sin hals, og følte sig vådere og koldere bag ørene, end han nogen sinde før havde følt sig.

„Plys," sagde han omsider lidt frygtsomt, for han holdt ikke af, at Plys skulle synes, at han blev for hurtigt træt, „hvordan ville det være, hvis vi gik hjem nu og indøvede din sang og så sang den for Æselet i morgen – eller – eller i overmorgen, når vi ser Æselet?"

„Det er en udmærket idé, Grisling," sagde Plys. „Vi kan øve os på den nu, medens vi går; men det kan ikke nytte at gå hjem og indøve den, for det er

10

en særlig „udendørs sang", som må synges udendørs
i snevejr."

„Er du ganske vis?" spurgte Grislingen ivrigt.

„Ja, nu kan du selv høre, Grisling, den begynder
sådan: „*Jo mer det sner, tra – lá – la – lá.*"

„Tra – lá – la hvad for noget?" spurgte Grislingen.

„Lá," sagde Plys, „dette satte jeg ind for at gøre
den mere sangagtig. *Des mer der er, tra – lá – la – lá,
des mer der er – –*"

11

„Sagde du ikke noget andet før?"

„Jo, men det var også før?"

„Før tra – lá – la – láet?"

„Det var et helt andet tra – lá – la – lá," sagde Plys, som efterhånden kørte noget rundt i det. Nu skal jeg synge den hele for dig, så kan du selv høre." Han sang den så igen, og da han var færdig, ventede han på, at Grislingen skulle sige, at af alle de

„udendørs sange for snevejr", han nogen sinde havde hørt, var denne absolut den bedste. Efter at have tænkt sig grundigt om, sagde Grislingen alvorligt:

„Plys, det er ikke så meget tæerne som *ørene*."

På dette tidspunkt var de nået hen i nærheden af

Æselets skumle bolig, og da der stadig var meget
tilsneet bag Grislingens ører, og han var ved at blive
træt af det, så drejede de ind i den lille fyrreskov og
satte sig på ledet, som førte ind i skoven. De var nu
ude af sneen, men det var meget koldt, og for at
holde sig varme, sang de Plys' sang helt igennem
seks gange, Grislingen sang tra – lá – la – láerne, og
Plys udførte resten, og på de rigtige steder slog de
begge to takt med hver sin gren på toppen af ledet.
Det varede heller ikke længe, før de følte sig varme
og igen var i stand til at snakke sammen.

„Jeg har siddet og tænkt," sagde Plys, „og hvad
jeg har tænkt på er dette: jeg har tænkt på Æselet."

„Hvad er der i vejen med Æselet?"

„Jo, det stakkels Æsel har jo ingen steder, hvor det kan bo."

„Nej, det har det jo ikke," sagde Grislingen.

„*Du* har et hus, Grisling, og jeg har et hus, og det er rigtig gode huse. Og Jakob har et hus, og Uglen og Kængu og Ninka Ninus har huse, og selv Ninka Ninus' venner og slægtninge har huse eller noget i den retning, men det stakkels Æsel har ingenting. Hvad jeg har tænkt på er derfor: Lad os bygge Æselet et hus."

14

„Det," sagde Grislingen, „er en storartet idé.
Hvor skal vi bygge det?"

„Vi skal bygge det her," sagde Plys, „akkurat her
ved denne skov i læ for blæsten, for det er her, jeg har
tænkt mig det. Og vi vil kalde stedet Plys' plads. Og vi
vil bygge et æselhus af brædder på Plys' plads for Æselet."

„Der var en stabel brædder på den anden side af
skoven," sagde Grislingen, „jeg så dem, da jeg gik
forbi, der var masser af dem, og de var alle sammen
stablet op."

„Tak skal du have, Grisling," sagde Plys. „Hvad du dér har fortalt vil være til stor hjælp, og af den grund kunne jeg kalde stedet for Plys-og-Grislings plads, hvis ikke Plys' plads lød bedre, hvad det gør, fordi det er mindre. Kom, lad os begynde."

De klatrede så ned af ledet og gik rundt til den anden side af skoven for at hente brædderne.

Jakob havde tilbragt morgenen indendørs med at sejle til Afrika og tilbage igen, og han var netop stået ud af båden og spekulerede på, hvordan vejret mon var udenfor, da hvem andre end Æselet skulle banke på døren.

„Goddag Æsel," sagde Jakob, da han havde åbnet døren. „Hvordan har *du* det?"

„Det sner stadig væk," sagde Æselet mørkt.

„Ja, det gør det nok."

„Og det fryser."

„Gør det?"

„Ja," sagde Æselet, „men," tilføjede det ligesom lidt lysere i stemmen, „vi har dog ikke for nylig haft jordskælv."

„Hvad er der i vejen, Æsel?"

„Ikke noget, Jakob, ikke noget særligt. Du har vel

16

ikke tilfældigt set et hus eller noget i den retning her
i nærheden?"

„Hvad slags hus?"

„Å, sådan – et hus."

„Hvem bor i det?"

„Det gør jeg. Jeg troede i det mindste, at jeg gjorde det. Men jeg gør det vel ikke. Når alt kommer til alt, kan vi jo ikke alle sammen have huse."

„Men Æsel, jeg vidste ikke — jeg — jeg — har altid troet — —"

„Jeg ved ikke, hvordan det er, Jakob, men med al denne sne og det ene og det andet, for ikke at tale om istapper og den slags ting, så er der ikke så varmt

18

på min mark klokken tre om morgenen, som nogen
folk måske tror. Der er ikke indelukket, hvis du
forstår, hvad jeg mener – ikke sådan, at det er
generende. Der er ikke beklumret. For at sige
sandheden, Jakob,‟ fortsatte Æselet i en gennem-
trængende hvisken, „mellem dig og mig og lad være
at sige det til andre – så er der temmelig koldt.‟

„Å, men Æsel!‟

„Og jeg sagde til mig selv: de andre vil blive kede
af det, hvis jeg går og bliver alt for kold. De har
ingen forstand inde i deres hoveder, det er der ingen
af dem, der har, kun noget gråt, uldent noget, som
ved en fejltagelse er blæst derind, og de tænker ikke;
men hvis det vedbliver at sne seks uger til, så vil en
af dem måske begynde at sige til sig selv: „Æselet
kan jo ikke havde det alt for forfærdeligt varmt ved

tretiden om morgenen." Og så vil man begynde at
tale om det, og så bliver de kede af det."

„Ja, men Æsel!" sagde Jakob og begyndte allerede
at blive bedrøvet.

„Jeg mener ikke dig, Jakob, du er anderledes end
de andre; men for at sige det kort — sagen er altså
den, at jeg har bygget mig et hus nede ved min lille
skov."

„Har du virkelig! Hvor spændende."

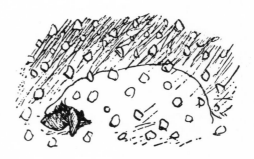

„Ja, men det mest spændende ved det hele er,"
sagde Æselet med sin mest melankolske stemme, „at
da jeg gik ud af det i morges, så var det der, men

20

da jeg kom tilbage igen, så var det der ikke. Kort og godt, slet ikke, og det er jo også kun Æselets hus! Men det var jo alligevel lidt underligt."

Jakob gav sig ikke tid til at blive forbavset. Han skyndte sig tilbage til sit hus og skyndte sig med at tage sin vandtætte hat, sine vandtætte støvler og sin vandtætte frakke på, så hurtigt han på nogen måde kunne.

"Lad os gå og lede efter dit hus med det samme," råbte han til Æselet.

"Det sker undertiden," sagde Æselet, "når folk er helt færdige med at tage en andens hus, at der er en eller anden lille bagatel, som de ikke har haft brug for, og som de er helt glade for, at en anden vil tage tilbage igen, hvis du forstår, hvad jeg mener. Jeg tænkte derfor, at hvis vi nu gik og –"

"Kom!" sagde Jakob, og de skyndte sig af sted og kom meget hurtigt til marken ved siden af fyrreskoven, hvor Æselets hus ikke længere lå.

"Der ser du!" sagde Æselet, "der er ikke en pind tilbage! Ja, jeg har selvfølgelig al denne sne, som jeg kan gøre med, hvad jeg vil, så man må jo ikke klage."

Men Jakob hørte ikke efter, hvad Æselet sagde, han lyttede efter noget helt andet.

„Kan du høre?" spurgte han.

„Hvad er det. Er der nogen, som ler?"

„Lad os lytte!"

De lyttede begge to – – og de hørte en dyb, ru stemme sige med en syngende stemme, at jo mere det sneede, des mere vedblev det at sne, og en spinkel høj stemme sang tra – lá – la tra – lá – la ind imellem.

„Det er Plys!" udbrød Jakob ivrigt.

„Det er meget muligt," sagde Æselet.

„Og Grislingen!" udbrød Jakob ivrigt.

„Det er meget muligt," sagde Æselet, „hvad vi har brug for er en trænet sporhund."

Der kom pludselig nogle nye ord i sangen:

„*Vi har bygget vort hus!*" sang den ru stemme.

„*Tra – lá – la – lá!*" sang den pibende stemme.

„*Det er et dejligt hus – –*"

„*Tra – lá – la – lá – – –*"

„*Å, gid det var mit – – –*"

„*Tra – lá – la – lá – – –*"

„Plys!" råbte Jakob.

22

Sangerne oppe på ledet standsede pludselig.

„Det er Jakob,“ sagde Plys ivrigt.

„Han er derhenne, hvor vi tog alle de brædder,“
sagde Grislingen.

„Kom,“ sagde Plys.

De klatrede ned af ledet og skyndte sig rundt til
hjørnet af skoven, medens Plys hele tiden udstødte
små velkomstlyde.

„Men der er jo Æselet,“ sagde Plys, da han var
færdig med at omfavne Jakob, og skubbede til
Grislingen, og Grislingen skubbede til ham, og de

23

tænkte begge på, hvad for en stor overraskelse, de havde til det.

„Goddag, Æsel, hvordan har du det?"

„Tak, lige så godt som du selv, Plysbjørn, og to gange så godt om torsdagen," sagde Æselet mut.

Før Plys kunne få sagt: „Hvorfor om torsdagen?" var Jakob begyndt at forklare den triste historie om Æselets hus, der var blevet borte. Og Plys og Grislingen lyttede, og deres øjne syntes at blive større og større.

„Hvor sagde du, at det lå?" spurgte Plys.

„Akkurat her," sagde Æselet.

„Var det lavet af brædder?"

„Ja."

„Å!" sagde Grislingen.

„Hvadbehager?" spurgte Æselet.

„Jeg sagde bare Å!" svarede Grislingen nervøst, og for at lade, som den var fuldkommen rolig, gav den sig til at nynne tra – lá – la – lá en eller to gange på en hvad-skal-vi-mon-nu gøre slags måde.

„Er du vis på, at der *var* et hus?" spurgte Plys. „Jeg mener, er du vis på, at huset lå akkurat her?"

„Selvfølgelig er jeg det," svarede Æselet og

24

mumlede ved sig selv: ,,Aldeles ingen forstand, det
er, hvad nogen af dem ikke har.''

,,Men hvad er der i vejen, Plys?'' spurgte Jakob.

,,Ja-a,'' sagde Plys – – – ,,sagen er den,'' sagde
Plys – – –, ,,ja, se sagen er den,'' sagde Plys – – –,
,,ser du,'' sagde Plys. – – – ,,Det forholder sig sådan,''
sagde Plys, og der var noget, der sagde ham, at hans
forklaring ikke var særlig god, og han skubbede
derfor igen til Grislingen.

,,Jo, det er altså sådan,'' sagde Grislingen hurtigt
– ,,Og det er meget varmere,'' tilføjede han efter at
have tænkt sig godt om.

,,Hvad er varmere?''

,,Den anden side af skoven, hvor Æselets hus ligger.''

,,*Mit* hus? spurgte Æselet. ,,Mit hus lå her.''

,,Nej, sagde Grislingen bestemt, ,,på den anden
side af skoven.''

,,Fordi der er varmere,'' sagde Plys.

,,Men jeg må da vide –''

,,Kom og se,'' sagde Grislingen blot og gik i
forvejen.

,,Der kunne ikke være to huse,'' sagde Plys, ,,ikke
så nær ved hinanden.''

Da de var kommet rundt om hjørnet, lå Æselets
hus der noget så hyggeligt.

„Der ser du," sagde Grislingen.

„Både indvendig og udvendig," sagde Plys stolt.

Æselet gik ind – og kom ud igen.

„Det er meget mærkeligt," sagde det. „Det er *mit*,

og jeg byggede det, hvor jeg sagde, så vinden må
have blæst det herhen. Jo, vinden må have blæst det
tværs hen over skoven og blæst det ned her, og her

står det så godt, som det overhovedet kan. Ja, det er
i virkeligheden bedre!"

„Meget bedre," sagde både Plys og Grislingen.

„Ja, der ser man, hvad der kan udrettes, når man gør sig lidt umage," sagde Æselet. „Er du klar over det, Plys? Er du klar over det, Grisling? Først bruger man forstanden, og bagefter arbejder man hårdt. Se på det! Det er sådan, man skal bygge et hus," tilføjede Æselet stolt.

De forlod Æselet i dets hus, og Jakob gik hjem og spiste frokost sammen med sine venner Peter Plys og Grislingen, og undervejs fortalte de ham om den frygtelige fejltagelse, de havde begået. Da han var færdig med at le, så sang de alle sammen „udendørssang for snevejr" resten af vejen hjem. Grislingen, som stadig ikke var helt sikker på sin stemme, sang igen alle tra-lá-la-láerne.

„Ja, jeg ved godt, at det lyder så let," sagde Grislingen til sig selv, „men det er ikke *alle* og *enhver*, som kunne gøre det."

I hvilket Grislingen er helt omgivet af vand

Det regnede, og det regnede, og det regnede. Grislingen sagde til sig selv, at aldrig i dens lange liv, og det var frygtelig langt – den var tre, eller var det fire år gammel? – havde den set så megen regn.

„Når jeg blot," tænkte han, da han så ud ad vinduet, „havde været i Plys' hus eller i Jakobs hus eller i Ninka Ninus' hus, dengang det begyndte at regne, så havde jeg haft selskab hele tiden, i stedet for at jeg nu skal sidde her alene og ikke have andet at gøre end at spekulere på, hvornår det vil holde op." Han tænkte på, hvordan han ville have sagt til Plys: „Har du nogen sinde set sådan et regnvejr?" og Plys ville have svaret: „Er det ikke skrækkeligt, Grisling" og Grislingen ville sige: „Jeg gad vide, hvordan det går ovre hos Jakob?" og Plys ville sige: „Jeg tænker, der snart er helt oversvømmet ovre hos stakkels Ninus." Det ville have været morsomt at have talt sådan sammen, og hvad kunne det nytte, at der hændte sådanne spændende ting som sådan et skybrud, når man ikke havde nogen, til hvem man kunne tale om dem.

For det blev temmelig spændende efterhånden. De små, tørre grøfter, som Grislingen så ofte havde rodet i med sin næse, var blevet til bække, og de små bække, som han havde soppet over, var blevet til floder, og floden, langs hvis bredder de ofte havde været så glade, havde bredt sig ud over sit eget leje og fyldte så megen plads op, at Grislingen begyndte at spekulere på, om den mon snart ville komme og tage hans leje.

,,Det er lidt oprivende," sagde han til sig selv, ,,at være et meget lille dyr helt omgivet af vand. Jakob og Plys kan redde sig ved klatring i træer, og Kængu kan redde sig ved hopning, og Ninus kan redde sig ved gravning, og Uglen kan redde sig ved flyvning, og Æselet kan redde sig ved at udstøde en høj lyd, til han bliver frelst, men her er jeg omgivet af vand og kan ikke gøre noget."

Det vedblev at regne, og hver dag steg vandet

32

lidt højere, indtil det næsten nåede op til Grislingens vindue – – og endnu havde han ikke gjort noget.

„Se nu Plys,‟ sagde han til sig selv, „Plys har ikke megen forstand, men kommer dog aldrig til skade. Han gør dumme ting, men kommer godt fra det. Og Uglen har ikke særlig forstand, men den ved besked med tingene. Den ville vide, hvad der var rigtigst at *gøre, når man var omringet af vand*. Og Ninka Ninus, den har ingen boglærdom, men den har altid udtænkt en god plan. Og Kængu, hun er ikke begavet, det kan man ikke sige om hende, men hun ville være så ængstelig for Kængubarnet, at hun ville finde på en god ting at gøre uden at tænke derover. Og så Æselet – men Æselet er nu altid så trist, at det ikke ville bryde sig noget videre om, om det var vådt eller tørt. Men jeg gad vide, hvad Jakob ville gøre?"

Pludselig huskede han en historie, som Jakob havde fortalt ham om en mand på en øde ø, som havde skrevet noget på et stykke papir, puttet det i en flaske og kastet flasken ud i havet; nu tænkte Grislingen, at hvis han også skrev noget på et stykke papir, puttede det i en flaske og kastede det i vandet, så måske der ville komme nogen og frelse *ham!*

Han forlod vinduet og gav sig til at lede i hele den del af huset, hvor der ikke var vand, og til sidst fandt han en blyant og et lille stykke tørt papir og en flaske med en prop. På den ene side af papiret skrev han:

HJÆLP
GRISLINGEN (MIG)

og på den anden side:

DET ER MIG GRISLINGEN,
HJÆLP! HJÆLP!

Han puttede papiret i flasken, slog proppen så langt
ned, han kunne, lænede sig så langt ud af vinduet,
han kunne, uden at falde i vandet, og kastede flasken
så langt, som han kunne kaste – plask! – og han så,
hvorledes flasken lidt efter kom op på overfladen og
flød langsomt bort. Han fulgte den så længe med
øjnene, at de til sidst gjorde ondt, og somme tider

35

troede han, at det var en flaske, han så, og somme tider en lille bølge, og så pludselig vidste han, at han aldrig mere ville se den igen, og at han havde gjort alt, hvad han kunne for at frelse sig.

„Nu må de andre tage affære," tænkte han, „og gøre noget, og jeg håber, at de vil gøre det snart, for ellers må jeg give mig til at svømme, hvad jeg ikke kan, så jeg håber rigtignok, de gør det snart." Han udstødte et dybt suk og sagde: „Jeg ville ønske, Plys var her, det er langt hyggeligere at være to."

Plys lå og sov, da regnen begyndte. Det regnede, og det regnede, og det regnede, og han sov, og han sov, og han sov. Pludselig drømte han, at han var ude på en farlig ekspedition, og der var frygtelig med sne og is overalt. Han havde fundet en bikube til at sove i, men der var ikke plads til hans ben, så dem måtte han lade hænge udenfor, og fra skoven kom vilde væseldyr og pillede det lådne af hans ben til at lave rede af for deres unger. Jo mere de pillede, des koldere blev hans ben, til han pludselig vågnede med et uh! – og der sad han i sin stol med fødderne i vand, og der var vand rundt omkring ham!

Han vadede hen til sin dør og kikkede ud – –

36

„Dette er alvorligt," sagde Plys, „jeg må tænke på flugt." Han hentede sin største krukke honning og klatrede med den op på en bred gren, som sad godt over vandet, og så klatrede han ned igen og flygtede op med den næste krukke – – – og da hele flugten var færdig, så sad Plys oppe på grenen dinglende med benene, og ved siden af ham stod ti krukker med honning – – –

To dage senere sad Plys på sin gren dinglende
med benene, og der stod fire krukker honning ved
siden af ham.

Tre dage senere sad Plys på sin gren dinglende
med benene, og der stod én krukke honning ved
siden af ham.

Fire dage senere sad Plys – – –

Og det var den fjerde dags morgen, at Grislingens flaske kom flydende forbi ham, og med et højt råb: „Honning!" lod Plys sig falde ned i vandet, greb flasken og arbejdede sig igen til sit træ.

„Det er dog for galt!" sagde Plys, da han åbnede den. „Tænk, at jeg er blevet så våd for ingenting. Hvorfor mon det lille stykke papir sidder dér?" Han tog det ud og så på det.

„Det er en besked," sagde han til sig selv, „det er, hvad det er. Det bogstav er et P., og det er det også, og det med, og P betyder Plys, altså er det en

meget vigtig besked til mig, og jeg kan ikke læse den! Jeg må finde Jakob eller Uglen eller Grislingen, en af disse dygtige læsere, som kan læse sådan noget, og de må fortælle mig, hvad beskeden betyder. Men jeg kan jo ikke svømme! Det er jo skrækkeligt!"

40

Pludselig fik han en idé, og jeg synes, at for en bjørn med meget lille forstand var det en god idé. Han sagde til sig selv:

„Hvis en flaske kan flyde, så kan en krukke også flyde, og hvis en krukke kan flyde, så kan jeg sidde oven på den, hvis det da er en meget stor krukke."

Han hentede sin største krukke og skruede et låg på den.

„Enhver båd har et navn," sagde han, „derfor vil jeg kalde min „*Den flydende Bjørn*"," og med disse ord skubbede han sin båd ud i vandet og sprang efter den.

Et stykke tid lod det til, at *Plys* og *Den flydende Bjørn* ikke var sikre på, hvem af dem der var bestemt til at være ovenpå, men efter at have prøvet forskellige stillinger, blev det til, at *Den flydende Bjørn* var underneden og Plys triumferende red oven på den, ivrigt roende med begge sine små, korte ben.

Jakob boede oppe på en bakke i skoven. Det regnede, og det regnede, og det regnede, men vandet kunne ikke nå op til *hans* hus.

Det var meget fornøjeligt at kikke ned i sænkningerne og se vand overalt, men det regnede så stærkt, at han blev inde det meste af tiden og

tænkte på en hel mængde ting. Hver morgen gik
han ud med sin paraply og stak en pind ned, hvor
vandet nåede op, og alle de næste morgener gik han
ud og kunne ikke mere se sin pind, og så stak han

en anden pind ned, dér hvor vandet nu var nået til, og gik så hjem igen, og hver morgen havde han en kortere vej at gå, end han havde haft morgenen før. Den femte dags morgen så han, at der var vand helt rundt om hans hus, og så vidste han, at han for første gang i sit liv var på en virkelig ø. Det var meget spændende.

Det var på denne morgen, at Uglen kom flyvende over vandet og sagde: ,,Goddag!" til sin ven Jakob.

„Hvad synes du, Ugle?" sagde Jakob, „er det ikke morsomt, at jeg bor på en ø?"

„De atmosfæriske tilstande har været meget ugunstige i den sidste tid," sagde Uglen.

„De hvilket?"

„Det har regnet," forklarede Uglen.

„Ja," sagde Jakob, „det har det."

„Vandstanden har nået en abnorm højde."

„En hvad for noget?"

„Der er en hel del vand overalt," forklarede Uglen.

„Udsigterne tegner imidlertid til snarlig bedring. Hvert øjeblik – – –"

„Har du set Plys?"

„Nej! Hvert øjeblik – – –"

„Jeg håber, at det går ham godt," sagde Jakob. „Jeg har tænkt en del på ham. Tror du, at han har det godt, Ugle?"

„Ja, det formoder jeg. Se, hvert øjeblik – – –"

„Vil du ikke tage hen og se efter, Ugle, for Plys har jo ikke så meget forstand, og han kunne let komme til at gøre noget dumt, og jeg elsker ham sådan, Ugle. Forstår du mig, Ugle?"

„Jo, det gør jeg nok!" sagde Uglen, „og jeg skal

45

også nok tage af sted med det samme," og så fløj den.

Den kom snart tilbage igen.

,,Plys er der ikke," sagde den.

,,Er han der ikke?"

,,Han *har* været der. Han har siddet på en gren af træet uden for sit hus med ti honningkrukker, men nu er han der ikke."

,,Å, Plys," råbte Jakob. ,,Hvor *er* du?"

,,Jeg er her!" sagde en brummende stemme bag ved ham.

,,Plys!"

De faldt hinanden om halsen.

,,Hvordan kommer du dog her, Plys?" spurgte Jakob, da han igen kunne tale.

„Jeg kom i min båd," sagde Plys stolt. „Jeg fik en meget vigtig besked sendt i en flaske, og på grund af, at jeg havde fået noget vand i mine øjne, kunne jeg ikke læse, hvad der stod, derfor har jeg bragt

den hen til dig. Jeg har bragt den i min båd." Med disse stolte ord gav han Jakob papiret.

„Men det er jo fra Grislingen," råbte Jakob, da han havde læst det.

„Står der ikke noget med Peter Plys i beskeden?" spurgte bjørnen og kikkede over hans skulder.

Jakob læste brevet højt. „Å, er de P'er G'er og betyder Grislingen, jeg troede, de betød Plys'er."

„Vi må straks frelse ham. Jeg troede, han var hos

47

dig, Plys? Ugle, kan du ikke frelse ham på din ryg?"

"Det tror jeg ikke," sagde Uglen efter at have tænkt sig alvorligt om. "Det er tvivlsomt, om den dertil nødvendige rygmuskulatur – –"

"Men vil du så ikke straks flyve hen til ham og sige, at der kommer undsætning. Plys og jeg vil nu tænke på undsætningen og komme, så hurtigt vi kan. Å, tal nu ikke, Ugle, men skynd dig!" Og Uglen talte ikke, men tænkte stadig på noget, den ville sige, og fløj af sted.

"Hvor er din båd, Plys?" spurgte Jakob.

"Ja, jeg burde jo have sagt," forklarede Plys, mens

48

de spadserede ned til søens bred, „at det ikke er en helt almindelig slags båd. Somme tider er det en båd, og somme tider er det mere noget andet. Det kommer alt sammen an på –"

„Hvad kommer det an på?"

„Det kommer an på, om jeg er oven på eller neden under den."

„Hvor er den henne?"

„Dér!" sagde Plys og pegede stolt på „*Den flydende Bjørn*".

Det var jo ikke den båd, Jakob havde ventet, og jo mere han så på den, des mere tænkte han, hvilken tapper og dygtig bjørn Plys var, og jo mere Jakob tænkte dette, des mere beskeden så Plys ned på sin næsetip og lod, som han ikke var det.

„Men den er for lille for os begge to," sagde Jakob bedrøvet.

„Vi er tre med Grislingen."

„Ja, så bliver den jo endnu mindre. Å, Plysbjørn, hvad skal vi dog gøre?"

Men så sagde denne bjørn, denne Plysbjørn, Peter Plys, Grislingens ven, Ninus' støtte, Æselets trøster og halefinder – kort og godt Plys selv – noget så

49

klogt, at Jakob blot kunne se på ham med åben mund og stirrende øjne og spekulere på, om dette virkelig var bjørnen med den meget lille forstand, som han havde kendt og elsket så længe.

„Vi kunne jo bruge din paraply."

„?"

„Vi kunne jo sejle i din paraply."

„?"

„Vi kunne jo drage af sted i din paraply."

„!!!!!!"

Pludselig indså Jakob, at det var jo, hvad de kunne. Han slog sin paraply op, satte den, så den fløj på vandet, men gyngede meget stærkt. Plys krøb om bord. Han skulle lige til at sige, at nu var det alt sammen storartet, da han opdagede, at det var det alligevel ikke. Så efter at have fået noget at drikke, hvad han slet ikke ønskede at få, vadede han tilbage til Jakob. Så krøb de begge to i på én gang, så gyngede den ikke mere.

„Denne båd vil jeg kalde „*Plys' Paraplys*"," sagde Jakob, og så sejlede de ud på det store vand.

I kan tænke jer Grislingens glæde, da den omsider fik øje på skibet. I årene, der kom efter, holdt han

af at tænke, at han havde været i meget alvorlig fare
under en frygtelig stormflod, men den eneste alvorlige
fare, han i virkeligheden havde været i, havde været
i den sidste halve time af sit fangenskab, da Uglen,
som var kommet flyvende, havde sat sig på en gren
af hans træ for at trøste ham og fortalt ham en meget
lang historie om en tante, som engang ved en
fejltagelse havde lagt et mågeæg, og historien blev
længere og længere, ligesom denne sætning, lige til
Grislingen, som uden meget håb havde hængt ud af

sit vindue og lyttet, ganske stille var faldet i søvn, og langsomt gled ud ad vinduet ned mod vandet, indtil han kun hang i den ene tå, da han heldigvis vågnede ved et pludseligt højt kvæk fra Uglen, et kvæk som i virkeligheden var en del af historien, fordi det var, hvad dens tante sagde, og så vågnede Grislingen op og nåede lige at få frelst sig selv og få sagt: „Næ, hvor interessant, gjorde hun det?" da –

52

og du kan tænke dig hans glæde, da han så det gode skib ,,*Plys' Paraplys*" (kaptajn: Jakob, 1st styrmand: Peter Plys) komme sejlende over havet for at frelse ham – –

Og dette er virkelig enden på historien, og jeg er meget træt efter den sidste sætning, så jeg tror, jeg holder op her.

I hvilket Peter Plys finder på en ny leg, og Æselet leger med

Bækken var, da den nåede udkanten af skoven, vokset så meget, at den næsten var en flod, og fordi den nu var voksen, løb og sprang og glitrede den ikke, som da den var yngre, men bevægede sig mere adstadigt. Nu vidste den jo, hvorhen den skulle, og den sagde til sig selv: „Der er ingen hast, kommer vi der ikke i dag, så kommer vi der i morgen." Men alle de små bække højere oppe i skoven kilede sig frem her og der og alle vegne, ivrigt og travlt, for de havde så meget, de skulle se, før det blev for sent.

Der var en bred sti, næsten så bred som en vej, der førte fra markerne ind i skoven, men før den nåede ind i skoven, måtte den over denne flod. Der, hvor den gik over, var der en træbro, som næsten var så bred som en vej med et trærækværk på begge sider. Jakob kunne lige nå at anbringe sin hage på den øverste kant af rækværket, hvis han havde lyst, men det var morsommere at stå på rækværkets nederste tværstang, således at han kunne læne sig ud over det og se floden langsomt glide forbi nedenunder. Plys kunne lige nå at anbringe sin hage på den nederste tværstang, hvis han havde lyst, men det var morsommere at lægge sig ned og stikke hovedet under den og se floden langsomt glide forbi nedenunder. Og dette var den eneste måde, hvorpå Grislingen og Kængubarnet over-hovedet kunne se på floden, fordi de var for små til at nå nogen af tværstængerne. De lagde sig derfor ned og kiggede ud – og der gled floden ganske langsomt uden at have nogen som helst slags hast-værk med at komme af sted.

En dag kom Plys spadserende ned imod denne bro, og da der lå en hel del grankogler rundt omkring, tog han en af dem op, kiggede på den og sagde til sig selv: „Dette er en pæn, god grankogle, den måtte man kunne lave et pænt, godt vers om." Men han kunne ikke finde noget, der rimede, til han pludselig lavede dette vers:

56

Dette træ er stor mystik.
Ingen løsning findes.
Ugle siger, det er hans,
Kængu, det er hendes.

„Verset er jo godt nok,“ sagde Plys glad, „men
meningen er måske ikke så god, for Kængu bor jo
ikke i et træ.“

Han var nu kommet ned til broen, men da han
gik og tænkte og ikke så sig for, snublede han over
et eller andet, og grankoglen fløj ud af poten på
ham og ned i floden.

„Så da også!“ sagde Plys, da den langsomt sejlede
ind under broen, og så gik han tilbage for at finde
en anden grankogle, som han måske bedre kunne
lave et vers om. Men så syntes han alligevel, at han
hellere ville se på floden, for det var en dag af den
slags, der er rare og solede, og så lagde han sig ned
og kiggede på den, og den gled langsomt af sted
dernede under ham – og så pludselig så han sin
grankogle komme glidende. „Det var dog mærkeligt,“

sagde Peter Plys. „Jeg tabte den på den anden side, og nu kommer den frem her på denne side. Jeg gad vide, om den vil gøre det en gang til?" Og så gik han tilbage for at hente nogle flere grankogler.

Det gjorde den – og den blev ved med at gøre det. Han lod så to falde samtidig og lænede sig ud for at se, hvem af dem der ville komme først, og en af dem kom først, men da de begge to var lige store, så vidste han ikke, om det var den, som han havde

ønsket skulle vinde eller den anden. Næste gang lod
han derfor en stor og en lille falde ned, og den store
kom først frem, og det var akkurat, hvad han havde
sagt, den ville, og på den måde vandt han to gange
– og da han gik hjem til te, havde han vundet
seksogtredive og tabt otteogtyve, altså havde han –
ja, otteogtyve trukket fra seks og tredive, det *havde*
han vundet – ikke den anden vej.

Det var begyndelsen til den leg, som Plys opfandt,
og som blev kaldt „plyspind", og som han og hans
venner ofte legede; de legede med pinde i stedet for
med grankogler, for de var lettere at kende fra
hinanden.

En dag legede Plys og Grislingen og Ninka Ninus

og Kængubarnet „plyspind“ sammen. De havde alle
ladet deres pinde falde i samme øjeblik, som Ninka
havde sagt „nu!“ og så skyndt sig over til den anden
side af broen og stod nu og lænede sig udover og
ventede at se, hvis pind først ville komme frem. Det
tog imidlertid lang tid, før nogen af dem kom, for
floden var meget doven den dag og syntes knap at
ænse, om den overhovedet kom nogen steder.

„Jeg kan se min!“ råbte Kængubarnet. „Nej, jeg
kan alligevel ikke, det er noget andet. Kan du se
din, Grisling? Jeg troede, jeg kunne se min, men jeg
kunne alligevel ikke. Der er den! Nej, det er ikke
den. Kan du se din, Peter Plys?“

„Nej,“ sagde Peter Plys.

„Det kan jo være, min pind hænger fast,“ sagde
Kængubarnet. „Ninka Ninus, min pind hænger fast.
Hænger din pind fast, Grisling?“

„Det tager altid længere tid, end man tror,“ sagde
Ninka Ninus.

„Hvor lang tid *tror* du, det vil tage?“ spurgte
Kængubarnet.

„Jeg kan se din, Grisling,“ sagde Peter Plys
pludselig.

61

„Min er sådan gråagtig," sagde Grislingen, som ikke turde læne sig for langt forover af angst for at falde i.

„Ja, men sådan ser den også ud. Den kommer her i denne side."

Ninka Ninus lænede sig endnu længere ud og kiggede efter sin, og Kængubarnet hoppede op og ned og råbte: „Kom nu pind, kom nu pind," og Grislingen var frygtelig ivrig, for hans var den eneste,

som var blevet set, og det betød jo, at han ville vinde.

„Den kommer!" råbte Plys.

„Er du *vis* på, at det er min?" peb Grislingen ivrigt.

„Ja, for den er grålig, ja, en stor grå en. Der kommer den! En meget – stor – grå – å, nej – det er jo Æselet!" Og ud sejlede Æselet!

„Men Æsel dog!" råbte de alle sammen i munden på hinanden, og der kom Æselet meget værdigt sejlende frem under broen med alle fire ben i vejret.

„Det er Æselet!" råbte Kængubarnet frygtelig ophidset.

„Tænk virkelig!" sagde Æselet, som i det samme blev grebet af en lille hvirvelstrøm og langsomt drejet tre gange rundt.

„Jeg vidste ikke, at du legede med," sagde Kængubarnet.

„Det gør jeg heller ikke," svarede Æselet.

„Men Æsel, hvad *bestiller* du dog der?" udbrød Ninka Ninus.

„Du kan gætte tre gange, Ninka Ninus. Tror du, jeg graver huller i jorden? Nej. Tror du, jeg springer fra gren til gren i et ungt egetræ? Nej. Tror du, jeg

venter på, at nogen skal hjælpe mig op af vandet?
Ja. Man skal bare give Ninka Ninus tid, så vil han
altid finde et svar."

„Men Æsel," sagde Peter Plys bekymret, „hvad
kan vi – jeg mener, hvordan skal vi – tror du, hvis
vi –"

„Ja," svarede Æselet, „det har du fuldkommen
ret i. Tak skal du have Plys."

„Han bliver ved med at køre *rundt* og *rundt*,"
råbte Kængubarnet, som var meget imponeret.

„Og hvorfor ikke?" spurgte Æselet koldt.

„Jeg kan også svømme," sagde Kængubarnet stolt.

„Men ikke rundt og rundt," sagde Æselet, „det
er meget mere vanskeligt. Jeg ville slet ikke have
svømmet i dag," vedblev det og drejede langsomt
rundt, „men hvis jeg, når jeg er i vandet, beslutter
at øve mig på en let roterende bevægelse fra højre
til venstre, eller jeg skulle måske sige," tilføjede det,
da det kom ind i en anden hvirvelstrøm, „fra venstre
til højre, ligesom det nu falder mig ind, så
kommer det ingen andre ved."

Der var et øjebliks tavshed, medens de alle tænkte
sig om.

64

„Jeg har fået en idé," sagde Plys omsider, „men måske den ikke er særlig god."

„Nej, det kan jeg ikke tænke mig," sagde Æselet.

„Gå videre, Plys," sagde Ninka Ninus, „lad os høre den."

„Jo, hvis vi alle sammen kastede sten ned i floden på den ene side af Æselet, så ville stenene lave bølger, og bølgerne skvulpe ham den anden vej."

„Det er en udmærket idé," sagde Ninka Ninus, og Peter Plys så igen lykkelig ud.

„Ja, udmærket," sagde Æselet. „Når jeg ønsker at blive vasket, Peter Plys, så skal jeg lade dig det vide."

„Vi kunne jo også komme til at ramme Æselet," sagde Grislingen bekymret.

„Eller sæt I ikke kom til at ramme mig," sagde Æselet, „tænk på alle de muligheder, Grisling, før du glad slår dig til ro."

Men Plys havde fået fat på den største sten, han kunne bære og lænede sig ud over rækværket, medens han holdt den i poterne. „Jeg kaster den slet ikke, Æsel, jeg lader den blot falde," forklarede han, „og så kan jeg ikke undgå – jeg mener, så kan jeg ikke ramme dig. *Kunne* du mon ikke et øjeblik

lade være med at dreje rundt, det forvirrer mig sådan?"

"Nej," svarede Æselet, "jeg *holder af* at dreje rundt."

Ninka Ninus følte, at nu var det på tide, at han tog affære. "Når jeg siger: Nu!, så lader Plys sin sten falde."

"Mange tak fordi du fortæller mig det, Ninus, men jeg tænker, jeg får det at mærke."

"Er du parat, Plys? Grisling, flyt dig lidt, så Plys får mere plads. Gå lidt længere tilbage derhenne, Kængubarn. Er I så parat?"

"Nej," sagde Æselet.

"Nu!" sagde Ninka Ninus.

Plys lod stenen falde. Der lød et stort plask, og Æselet forsvandt.

Tilskuerne på broen stod bekymret og stirrede ned. De så, og de så – og selv synet af Grislingens pind, som som frem lidt før Ninus', opmuntrede dem ikke så meget, som man kunne have ventet.

Men ligesom Plys begyndte at tro, at han måtte have valgt den forkerte sten, eller den forkerte flod eller den forkerte dag til at udføre sin plan, kom noget gråt et øjeblik til syne ved flodbredden – og det blev langsomt større og større – og omsider var det Æselet, som kom til syne.

Med et råb styrtede de alle sammen ned fra broen og halede og sled i det, og snart stod det igen på det tørre.

,,Å, Æsel, hvor *er* du dog våd!" råbte Grislingen og følte på det.

Æselet rystede sig og bad nogen om at forklare Grislingen, hvad der skete, når man i et længere stykke tid havde opholdt sig i en flod.

,,Det var godt gjort, Plys," sagde Ninka Ninus, ,,det var en god idé, du der fik."

,,Hvad var en god idé?" spurgte Æselet.

,,At få dig skvulpet hen til bredden på den måde."

,,*Skvulpe* mig?" sagde Æselet forbavset. ,,Skvulpe

68

mig? I mener dog vel ikke, at jeg blev skvulpet, hvad?
Jeg dykkede, gjorde jeg. Plys lod en stor sten falde
ned på mig, og for at den ikke skulle ramme mig,
dykkede jeg ned og svømmede ind til bredden."

„Det gjorde du slet ikke," hviskede Grislingen til
Plys for at trøste ham.

„Jeg *mente* ikke, at jeg gjorde det," sagde Plys
bekymret.

„Det er bare noget, Æselet siger," sagde Grislingen. „Jeg synes, at din idé var en udmærket god idé"

Plys begyndte at føle sig lidt mere beroliget, for når man er en bjørn med en megen lille forstand, og man giver sig til at finde på ideer, så opdager man undertiden, at en idé, som er meget god inden i en,

er helt anderledes, når den kommer frem for dagens lys, og andre folk giver sig til at se på den. Og Æselet havde i alle tilfælde været i floden, og nu var han det ikke, så han, Plys, havde ikke gjort nogen skade.

70

„Hvordan faldt du i, Æsel?" spurgte Ninka Ninus og gav sig til at tørre det med Grislingens lommetørklæde.

„Det gjorde jeg slet ikke," svarede Æselet.

„Men hvordan –"

„Man for på mig," sagde Æselet.

„Å," udbrød Kængubarnet, „var der nogen, der skubbede til dig?"

„Nogen for på mig. Jeg stod netop fordybet i tanker ved bredden af floden – jeg var i færd med at tænke, hvis nogen af jer ved, hvad det betyder – da man for ind på mig."

„Men Æsel dog!" udbrød de alle i kor. „Er du vis på, at du ikke gled?" spurgte Ninus eftertænksomt.

„Selvfølgelig gled jeg, hvis man står på en glat flodbred, og nogen kommer farende ind på en bagfra, glider man, hvad tror du ellers jeg gjorde?"

„Men hvem gjorde det?" spurgte Kængubarnet.

Æselet svarede ikke.

„Det var vel Tigerdyret?" spurgte Grislingen nervøst.

„Men sig mig, Æsel," sagde Plys, „var det en

spøg eller var det en tilfældighed? Jeg mener –"

„Jeg standsede ikke for at spørge, Plys. Selv da jeg kom helt ned på bunden af floden, standsede jeg ikke for at sige til mig selv: „Er dette en ganske storartet spøg, eller er det et rent og skært tilfælde?" Jeg steg simpelt hen op til overfladen og sagde til mig selv: „Det er vådt." Hvis I ved, hvad jeg mener."

„Men hvor var Tigerdyret henne?" spurgte Ninka Ninus.

Før Æselet kunne svare, lød der en stærk støj bag ved dem, og dér kom Tigerdyret gennem hækken „goddag alle sammen," sagde Tigerdyret fornøjet.

„Goddag, Tigerdyr," sagde Kængubarnet.

Ninka Ninus blev pludselig meget overlegen. „Tigerdyr," sagde han højtideligt, „hvad er der lige nu sket?"

„Hvornår lige nu?" sagde Tigerdyret lidt ilde berørt.

„Da du for på Æselet, og det endte i floden."

„Jeg for ikke på det."

„Du *for* på mig," sagde Æselet irriteret.

„Det gjorde jeg virkelig ikke. Jeg havde sådan en hoste, og jeg stod netop bag ved Æselet, og jeg sagde: Hrr-chhh-pitschechsch –"

„Men dog," sagde Ninka Ninus og hjalp Grislingen på benene og tørrede støvet af ham. „Der skete vist ikke noget, Grisling."

„Jeg blev så overrasket," sagde Grislingen nervøst.

„Ja, sikken en manér," sagde Æselet, „at overraske folk sådan. Det er virkelig meget ubehageligt. Jeg har ikke noget imod, at Tigerdyret er i skoven," fortsatte det, „for det er en stor skov, og der er masser

af plads til at fare rundt i, men jeg kan ikke indse,
hvorfor det netop behøver at opsøge mit lille hjørne
og fare rundt der. Det er jo ikke, fordi der er noget
særlig mærkværdigt ved mit lille hjørne. For folk,

74

der særlig elsker kolde, våde, væmmelige steder, er det selvfølgelig noget særligt, men ellers er det jo kun et ganske almindeligt hjørne, og hvis nogen føler særlig lyst til at fare rundt –"

„Jeg for ingen steder, jeg hostede," sagde Tigerdyret ærgerligt.

„Ja, hoste og faren rundt kommer ud på et for den, der ligger på bunden af floden."

„Ja, ja," sagde Ninka Ninus, „alt hvad jeg har at sige er, – ja, her er Jakob, så kan han sige det."

Jakob kom gående fra skoven ned imod broen. Solen skinnede, og han var så fornøjet og tilfreds, som man er på sådan en solvarm eftermiddag, og han tænkte, at hvis han stod på broens underste tværstang og bøjede sig ud over og så på floden, der langsomt gled forbi nedenunder, så ville han pludselig vide besked med alt, som man kunne vide noget om, og så ville han kunne fortælle Plys, der ikke var helt sikker på forskellige ting, derom. Men da han kom hen til broen og så alle dyrene dér, så vidste han, at det blev ikke sådan en slags eftermiddag, men den anden slags hvor man havde lyst til at bestille noget.

„Se sagen er den, Jakob," begyndte Ninka Ninus, „Tigerdyret –"

„Nej, jeg gjorde ikke," sagde Tigerdyret.

„Men det gik i hvert fald ud over mig!" sagde Æselet.

„Men jeg tror ikke, han mente noget ondt dermed," sagde Plys.

„Han er så omkringfarende," sagde Grislingen, „og han kan ikke gøre for det."

„Vil du ikke prøve at fare mod *mig*, Tigerdyr?"
spurgte Kængubarnet ivrigt. „Æsel, Tigerdyret vil
prøve det på mig, Grisling, tror du –"

„Ja, det er meget godt," sagde Ninka Ninus,
„men det kan ikke nytte, at vi alle sammen taler
på én gang. Sagen er, hvad Jakob mener?"

„Det eneste, jeg gjorde, var, at jeg hostede,"
sagde Tigerdyret.

„Han for," sagde Æselet.

„Stille," sagde Ninka Ninus og løftede sin ene pote. „Hvad mener Jakob om det hele? Det er det, det kommer an på."

„Ja, se," sagde Jakob, som ikke var helt sikker på, hvad det hele drejede sig om, „*jeg synes —*"

„Ja?" udbrød de alle sammen.

„*Jeg* synes, vi alle sammen skulle lege plyspind."

Og det gjorde de så; og Æselet, som aldrig før havde leget det, vandt flere gange end nogen af de andre, og Kængubarnet faldt to gange i vandet,

første gang af vanvare, og anden gang med vilje, fordi han pludselig så Kængu komme ud fra skoven og så vidste, at nu skulle han alligevel i seng. Ninka Ninus sagde så, at han ville gå med ham, og Tigerdyret og Æselet fulgtes ad, fordi Æselet ville fortælle Tigerdyret, hvordan man bar sig ad med at vinde, hvilket man gjorde ved at lade sin pind falde ligesom, hvis du forstår, hvad jeg mener, Tigerdyr − −

Jakob og Plys og Grislingen blev derfor alene tilbage på broen. Længe stod de og så på floden nedenunder uden at sige noget, og floden sagde heller ikke noget, for den følte sig så rolig og fredelig på denne stille sommereftermiddag.

„Tigerdyret er i virkeligheden meget flink,‟ sagde Grislingen dovent.

„Selvfølgelig er det det,‟ sagde Jakob.

„Det er man i virkeligheden alle sammen,‟ sagde Plys, „det er, hvad jeg synes,‟ tilføjede Plys, „men jeg har vist ikke ret,‟ mente han så.

„Selvfølgelig har du ret,‟ sagde Jakob.